SAOGHAL MÌORBHAILEACH

tim hopgood

DATHAN

SAOGHAL MÌORBHAILEACH

tim hopgood

DATHAN

acair

Dearg mar shùbhan-làir

agus
sirisean
air
craoibh.

Gorm mar an adhar

agus fuathan-mhuc
na coille.

Buidhe mar a' ghrian

agus arbhar
san achadh.

Gheibh sinn tòrr dhathan eile
le na **trì** dathan seo.

Dearg agus buidhe

còmhla a' dèanamh . . .

Orains Orains, meas a tha loma-làn sùgh.

Buidhe agus gorm

còmhla a' dèanamh . . .

Uaine Uaine, ùr mar mheannt.

Gorm agus dearg

còmhla a' dèanamh . . .

Purpaidh Purpaidh cùbhraidh.

Bidh cuid de rudan ag atharrachadh
an dathan tron bhliadhna.

Faodaidh ròs
a bhios **pinc**
as t-earrach . . .

a bhith **geal**

as t-samhradh.

Duilleagan a tha
uaine as t-samhradh . . .

tionndadh **donn** as t-fhoghar.

Bidh rudan eile ag atharrachadh an dathan cuideachd . . .

Bidh tomàtothan a dol bho **uaine** . . .

gu **dearg** is iad a' fàs anns a' ghrian.

Bidh bananathan a tha **buidhe** . . .

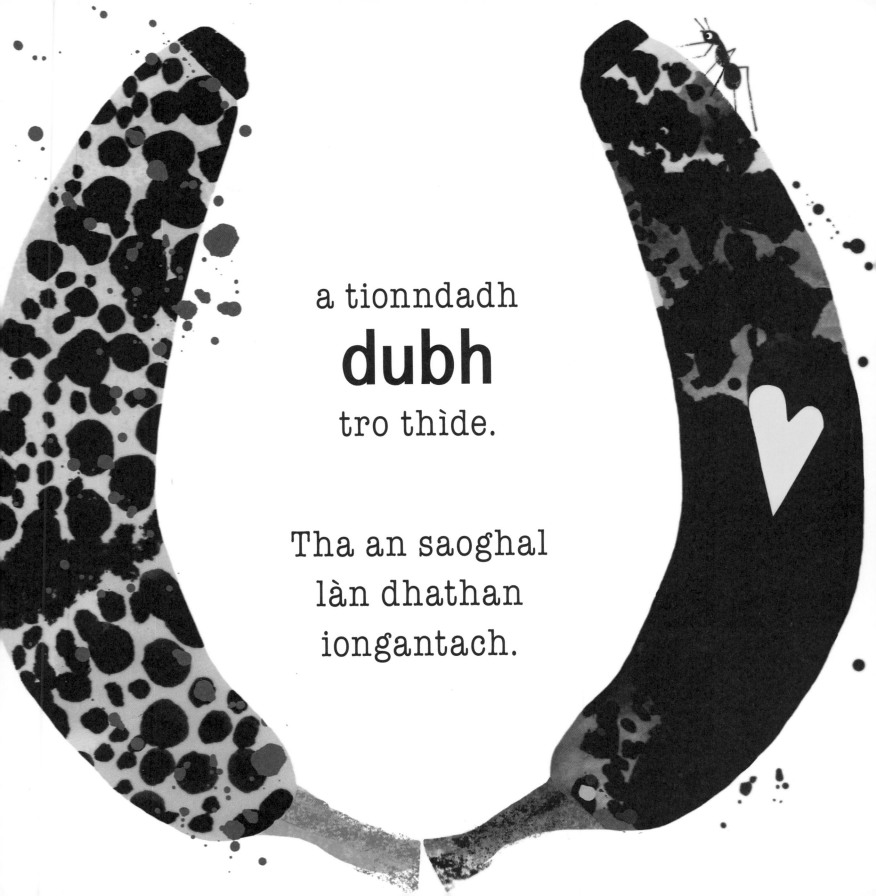

a tionndadh
dubh
tro thìde.

Tha an saoghal
làn dhathan
iongantach.

Ach tha na dathan as **iongantaiche** a chì mi a tighinn nuair a thig an t-uisge . . .

agus tha a' ghrian
fhathast a' deàrrsadh.
Sin an uair
a chì mì . . .

na dathan uile ann am

bogha-froise!

OXFORD UNIVERSITY PRESS

Great Clarendon Street, Oxford OX2 6DP

'S e roinn de dh'Oilthigh Oxford a th' ann an Clò-bhualadair Oilthigh Oxford.
Tha e a' brosnachadh rùn an Oilthighe a thaobh sàr-mhaitheas ann an rannsachadh,
sgoilearachd, agus foghlam le bhith a' foillseachadh air feadh an t-saoghail.
'S e comharra malairt clàraichte a th' ann an Oxford de Clò-bhualadair Oilthigh Oxford
anns an Rìoghachd Aonaichte agus ann an cuid de dhùthchannan eile.

A' chiad fhoillseachadh sa Ghàidhlig 2021 le Acair, An Tosgan,
Rathad Shìophoirt, Steòrnabhagh, Eilean Leòdhais HS1 2SD

info@acairbooks.com   www.acairbooks.com

© an teacsa Ghàidhlig Acair 2021.
An dealbhachadh sa Ghàidhlig Mairead Anna NicLeòid.

Tha Acair a' faighinn taic bho Bhòrd na Gàidhlig.

Gheibhear clàr catalog CIP airson an leabhair seo ann an Leabharlann Bhreatainn.

Air a chlò-bhualadh ann an Sìona

LAGE/ISBN 978-1-78907-103-0

Tha am pàipear air a chleachdadh airson an leabhair seo dèanta à stuth
nàdarrach à fiodh a chaidh fhàs ann an coilltean seasmhach, agus tha e
comasach ath-chuairteachadh. Tha am pròiseas saothrachaidh
a' co-chumail ri riaghailtean àrainneachd an tùs-dhùthaich.

OSCR
Scottish Charity Regulator
www.oscr.org.uk
Registered Charity
SC047866

Riaghladair Carthannas na h-Alba
Carthannas Clàraichte/Registered Charity SC047866